CHEF, LA RECETTE !

TOME 2

Cyril Lignac

Photographies des plats : Éric Fénot

Stylisme des recettes : Delphine Brunet

avec la collaboration de **Philips**

HACHETTE
Pratique

M6 EDITIONS

CHEF, LES PLATS !

CHEF, LES DESSERTS !

ET SI ON CONTINUAIT ?

L'aventure ***Chef la recette !*** se poursuit, grâce à vous. De nouvelles recettes viennent s'ajouter à celles que vous avez aimées dans le tome 1. Il fallait à tout prix que je vous en fasse profiter !

J'ai sélectionné dans ce livre mes recettes préférées, celles que je voulais absolument vous faire partager... Voici donc de nouvelles idées de plats ou de desserts à préparer tranquillement chez vous en suivant pas à pas mon cours de cuisine. Recettes pour tous les jours ou pour épater vos amis, elles sont toutes à votre portée !

Vous trouverez ici tous les ingrédients d'une cuisine réussie : la leçon filmée pour qu'aucun geste ne vous échappe, la photo du résultat final bien sûr, pour vous faire un peu saliver... et tous mes petits conseils pour choisir les meilleurs produits ou faire les bons gestes, bref, tout pour devenir à votre tour un véritable chef !

Alors dévorez dès à présent les nouvelles aventures de ***Chef la recette !***

Cyril Lignac.

CHEF,
LES PLATS !

NOIX DE SAINT-JACQUES À L'ORANGE, NEMS DE PLEUROTES

(MERCI À JEAN-YVES CORVEZ !)

PRÉPARATION 45 MINUTES

Pour **2 personnes** | Coût : €€€ | Difficulté : ★★★

Ingrédients

10 noix de Saint-Jacques

Beurre d'oranges :

4 oranges
10 cl de crème liquide
200 g de beurre
5 cl de vin blanc
1/2 échalote
50 g de sucre en poudre

Nems de pleurotes :

100 g de pleurotes
1 blanc de poireau
1 carotte
1/2 échalote
1/2 gousse d'ail
100 g de beurre
100 g de pâte filo
1 cuil. à soupe d'huile d'olive
Sel et poivre du moulin

Matériel

Papier absorbant
Papier sulfurisé

CHOISIR LES BONS PRODUITS

→ Demandez à votre poissonnier de nettoyer les noix de Saint-Jacques. Il faut retirer les parties noires (foie et intestins) ainsi que la barde.

→ La pâte filo est plus fine que la feuille de brique. Elle sera plus légère et plus croustillante.

1 Nettoyez les noix de Saint-Jacques et mettez-les au réfrigérateur sur du papier absorbant.

2 Préparez le beurre d'oranges : pressez 2 oranges pour en extraire le jus, prélevez les zestes des 2 autres.

3 Blanchissez les zestes dans un peu d'eau portée à ébullition.

4 Égouttez-les puis refroidissez-les aussitôt sous l'eau froide.

LES CONSEILS DE CYRIL

- *Le fait d'absorber l'eau des noix de Saint-Jacques va leur permettre de mieux dorer à la cuisson.*
- *Pour prélever les zestes des oranges en julienne, utilisez un zesteur ou un économe.*
- *En blanchissant, le zeste va perdre de son amertume.*

5 Pelez à vif les 2 oranges sans zeste puis récupérez la chair...

6 ...entre les membranes blanches. Gardez quelques quartiers pour la décoration et pressez les autres.

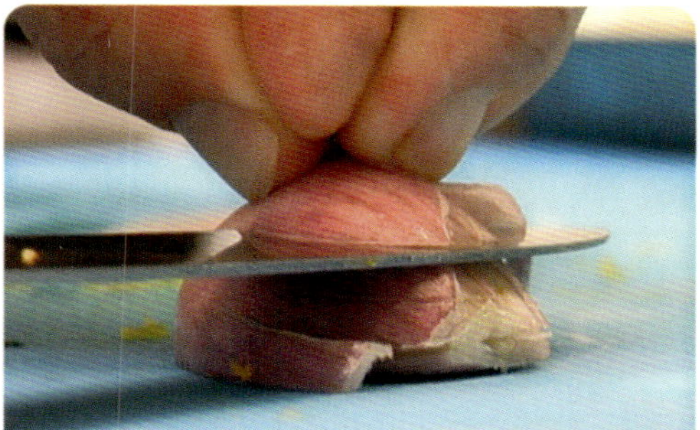

7 Hachez finement l'échalote en la coupant dans un sens...

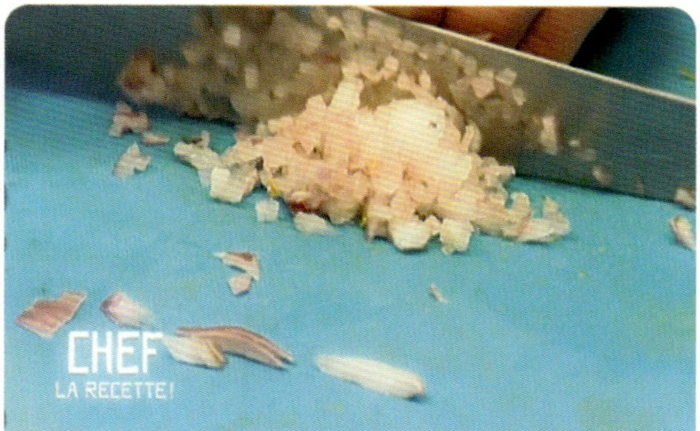

8 ... puis dans l'autre. Versez-en la moitié dans une casserole avec le vin blanc...

LES CONSEILS DE CYRIL

→ Pour peler une orange à vif, ôtez les parties supérieures et inférieures de l'orange (en coupant un peu de chair). Vous enlèverez ensuite plus facilement la peau en vous aidant d'un couteau.

→ Utilisez un couteau tranchant pour hacher l'échalote.

9 ... le jus des oranges et le sucre en poudre. Portez le mélange à ébullition puis...

10 ... laissez-le réduire doucement aux deux tiers. Préchauffez le four à 220 °C (th. 8).

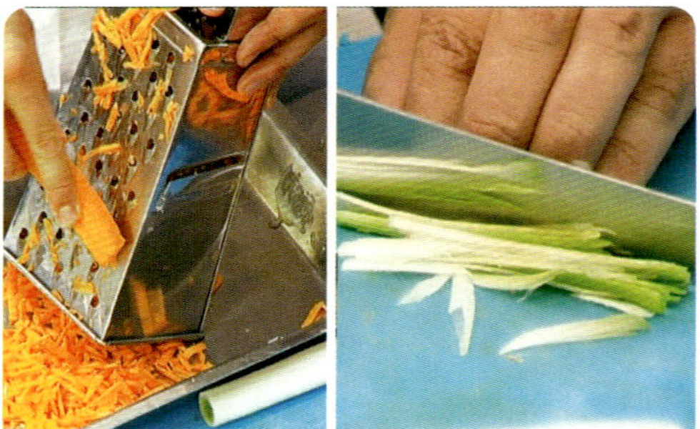

11 Préparez les nems : râpez la carotte et coupez le blanc du poireau le plus finement possible.

12 Faites suer rapidement les deux légumes dans une poêle avec 50 g de beurre. Mettez de côté.

LES CONSEILS DE CYRIL

→ *Le poireau doit être coupé en julienne, c'est-à-dire en longues et fines lamelles.*
→ *Pensez à bien le laver au préalable, pour enlever les éventuels grains de sable.*

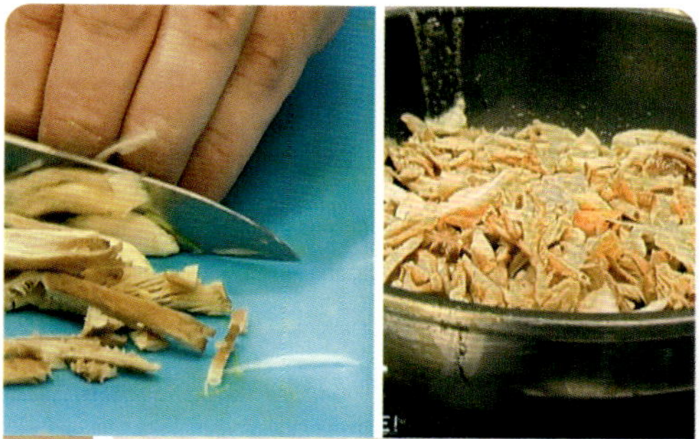

13 Émincez les pleurotes. Faites-les sauter dans un filet d'huile d'olive avec la demi-échalote émincée...

14 ... et l'ail écrasé. Ajoutez la garniture carotte-poireau, une pincée de sel...

15 ... et un peu de poivre. Réservez. Découpez les feuilles de pâte filo en deux rectangles. Beurrez les bords.

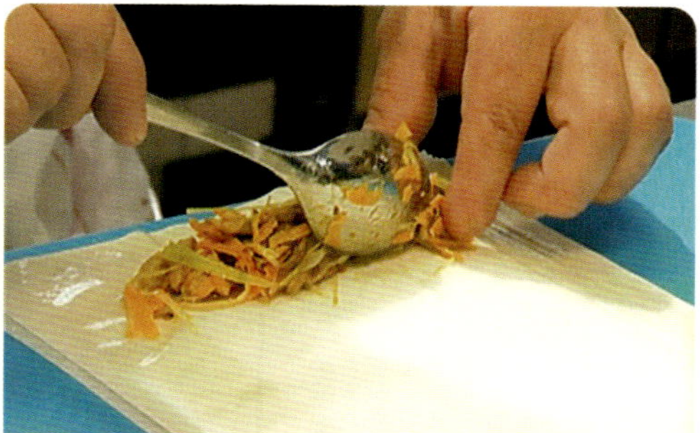

16 Placez un peu de légumes à une extrémité, rabattez les bords sur la garniture.

LES CONSEILS DE CYRIL

→ *Pour nettoyer les pleurotes, retirez les parties abîmées et la base terreuse, puis essuyez-les avec un linge humide, mais ne les passez pas sous l'eau.*

→ *Pensez à retirer le germe de l'ail (partie verte au cœur de la gousse) car celui-ci est indigeste.*

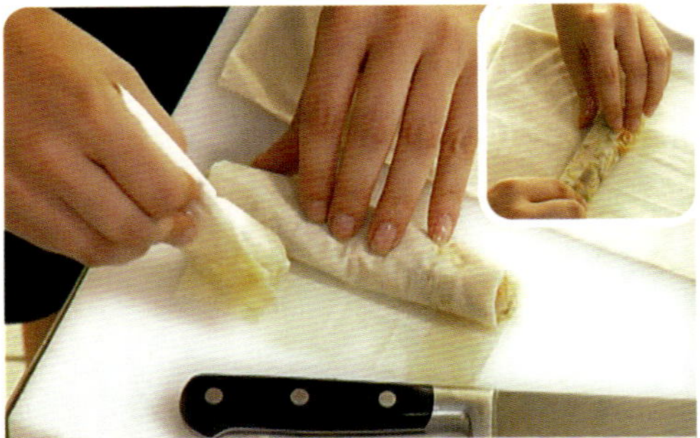

17 Roulez le nem et fermez l'extrémité en collant la pâte avec un peu de beurre fondu.

18 Répétez l'opération et faites cuire les nems au four environ 10 min sur du papier sulfurisé.

19 Salez et poivrez les noix. Saisissez-les dans un peu d'huile d'olive très chaude avec une noisette de beurre.

20 Baissez le feu et laissez cuire doucement pour qu'elles soient dorées et moelleuses.

LES CONSEILS DE CYRIL

→ La noisette de beurre permet aux noix de Saint-Jacques de dorer.

→ Outre le beurre fondu, vous pouvez également souder les nems en humidifiant les extrémités avec un peu d'eau.

21 Reprennez la préparation au beurre d'oranges et faites-la chauffer avec 10 cl de crème. Ajoutez...

22 ... le beurre restant, la moitié des zestes d'oranges et montez le « beurre blanc » hors du feu en fouettant bien.

23 Déposez les nems et les noix de Saint-Jacques sur le beurre d'oranges.

24 Décorez les nems avec des zestes d'oranges, et les noix de Saint-Jacques avec des œufs de lump.

LE CONSEIL DE CYRIL

⟶ Pour décorer joliment l'assiette, placez-y les quelques quartiers d'orange que vous aviez préalablement mis de côté.

CARRÉS D'AGNEAU EN CROÛTE D'ÉPICES, ABRICOTS À L'AIGRE-DOUX ET CAROTTES PERSILLÉES

Préparation 40 minutes

Pour **2 personnes** | Coût : €€€ | Difficulté : ★★★

Ingrédients

Carrés d'agneau :

2 carrés d'agneau de 3 côtes chacun
1 citron vert non traité
1 bouquet de coriandre
1 bouquet de persil plat
30 g de beurre mou
30 g de chapelure
1 cuil. à soupe de graines de coriandre
1/2 cuil. à café de graines de cumin
1 pincée de filaments de safran
1 gousse d'ail
1 cuil. à café d'huile d'olive
Sel et poivre du moulin

Abricots :

12 abricots secs
Le jus de 1/2 citron
1 échalote
1/2 piment corne de bœuf
100 g de cassonade

Carottes persillées :

1 botte de jeunes carottes
1 bouquet de persil plat
1 cuil. à soupe de crème fraîche
1 cube de bouillon de volaille
Sel et poivre du moulin

Matériel

1 robot mixeur

CHOISIR LES BONS PRODUITS

→ Le safran en filaments est un produit cher. Vous pouvez le remplacer par de la poudre de safran.

→ Demandez à votre boucher de préparer les carrés d'agneau.

1 Préchauffez le four à 200 °C (th. 7).

2 Manchonnez les carrés d'agneau, c'est-à-dire retirez tout ce qu'il y a entre les os.

3 Prélevez les zestes du citron vert. Mixez la gousse d'ail, les feuilles de coriandre et de persil...

4 ... les graines de cumin et de coriandre, le safran et les zestes de citron.

LES CONSEILS DE CYRIL

- *S'il s'agit d'un citron traité, pensez à le laver avant d'en extraire les zestes.*
- *Les graines de coriandre sont plus fortes que les feuilles et vont corser le goût.*

5 Versez le mélange dans un saladier. Ajoutez le beurre, la chapelure, un peu de sel et de poivre.

6 Salez et poivrez les carrés d'agneau et déposez-les dans un plat enduit d'huile d'olive.

7 Enduisez-les du mélange d'épices.

8 Protégez les os avec du papier d'aluminium et mettez au four environ 15 min.

LES CONSEILS DE CYRIL

⇢ *Contrôlez la cuisson de l'agneau en le piquant avec un couteau puis testez la chaleur de la lame du bout des lèvres. Si elle est tiède, l'agneau est rosé. En principe, le carré d'agneau se mange rosé.*

⇢ *Vous pouvez ramollir le beurre au micro-ondes.*

9 **Les carottes et les abricots :** sur le feu, faites dissoudre un cube de bouillon de volaille dans 20 cl d'eau.

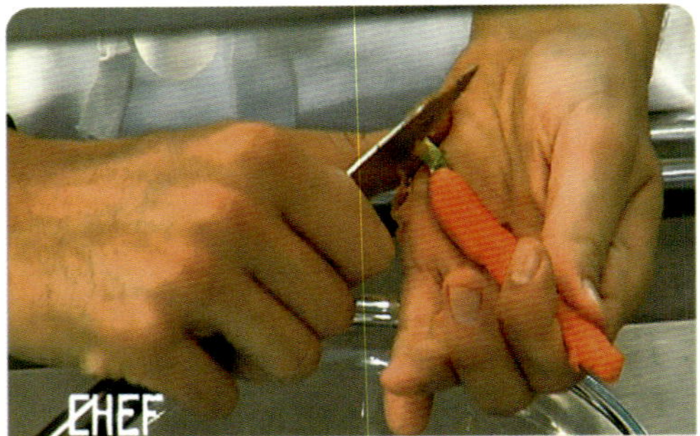

10 Grattez les carottes et rincez-les.

11 Faites-les cuire entières dans le bouillon.

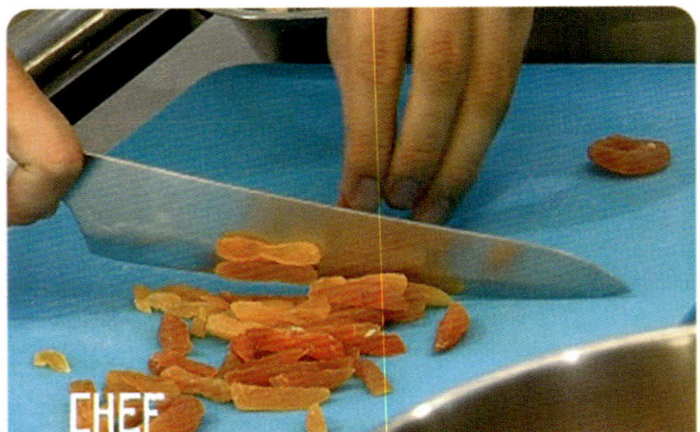

12 Dans une casserole, réunissez les abricots coupés en lanières…

LES CONSEILS DE CYRIL

···> Ayez le réflexe « bouillon cube » pour parfumer l'eau de cuisson des légumes.

···> Pour une touche de couleur supplémentaire, vous pouvez conserver les fanes des carottes (2cm environ).

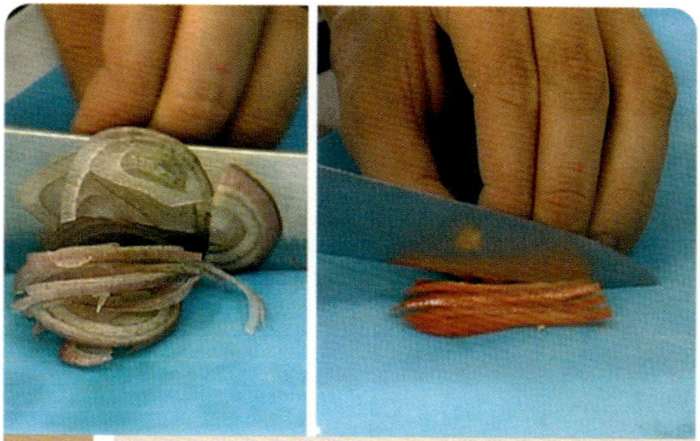

13 … un morceau de piment coupé en lanières puis en cubes, l'échalote hachée finement et la cassonade.

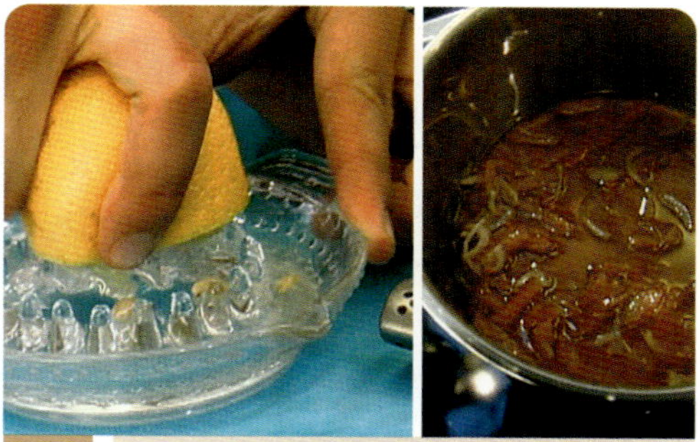

14 Ajoutez un filet d'eau et le jus de citron puis laissez confire doucement le mélange.

15 En fin de cuisson, ajoutez aux carottes le persil ciselé et la crème fraîche.

16 Servez les carrés d'agneau découpés en tranches, accompagnés des abricots et des carottes. Poivrez.

LE CONSEIL DE CYRIL

→ Retirez les graines et les parties blanches du piment, c'est ce qui est le plus piquant !

FILETS DE DAURADE GRILLÉS AU SÉSAME ET LASAGNES MINUTE TOMATES OLIVES

PRÉPARATION 20 MINUTES

Pour **2 personnes** | Coût : € € | Difficulté : ★

Ingrédients

Daurade :

2 filets de daurade
2 feuilles de menthe fraîche
6 feuilles de coriandre
1 noisette de beurre
2 cuil. à soupe de vinaigre balsamique
2 cuil. à soupe d'huile de sésame
Quelques graines de sésame non grillées
Huile d'olive
Sel et poivre du moulin

Lasagnes :

150 g de tomates
50 g d'olives noires
1/2 oignon
1 branche de thym
1 cuil. à soupe de pignons de pin
2 feuilles de lasagne
1 pincée de sucre glace (ou poudre)
1 cuil. à soupe d'huile d'olive
Sel et poivre du moulin

CHOISIR LES BONS PRODUITS

→ Demandez à votre poissonnier de lever les filets de daurade. Vous pouvez remplacer la daurade par du thon, du turbo, du bar ou du saumon.

→ Ne lavez pas la daurade afin d'éviter qu'elle rende de l'eau à la cuisson.

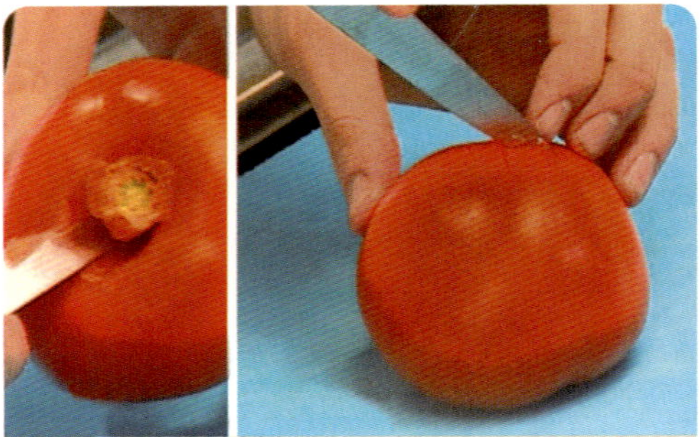

1 **Préparez les lasagnes :** retirez le pédoncule des tomates et incisez la peau en croix sur le dessous.

2 Plongez les tomates quelques secondes dans l'eau bouillante pour que leur peau se décolle...

3 ... puis dans l'eau froide pour retirer la peau plus facilement.

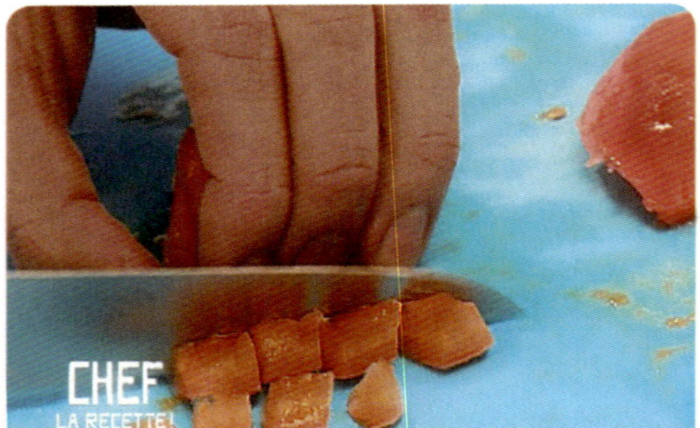

4 Enlevez les pépins et coupez les tomates en petits morceaux.

LE CONSEIL DE CYRIL

Monder la tomate consiste à provoquer un choc thermique qui va décoller la peau de la tomate sans cuire cette dernière.

5 Épluchez et ciselez finement l'oignon.

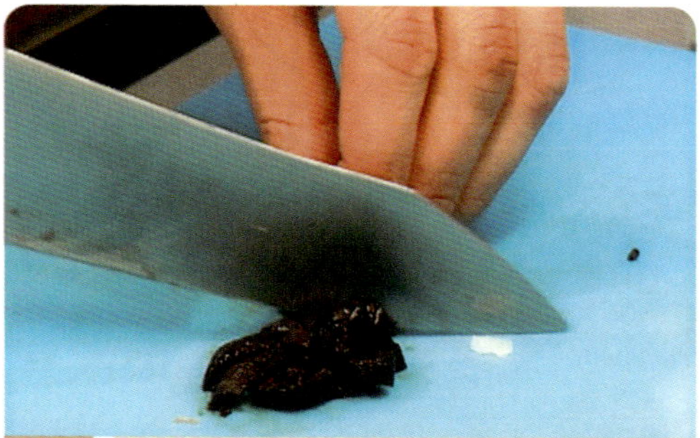

6 Coupez les olives noires en morceaux.

7 Faites revenir l'oignon dans de l'huile d'olive avec une branche de thym. Ajoutez la tomate. Salez, poivrez.

8 Ajoutez le sucre, les pignons de pin et les olives. Laissez compoter doucement environ 10 min.

LES CONSEILS DE CYRIL

- *L'huile d'olive permet d'harmoniser les saveurs des tomates et des olives.*
- *Versez un filet d'eau pour allonger la sauce.*

9 **Préparez la daurade :** retirez la peau des filets de daurade. Enduisez-les d'huile d'olive côté peau.

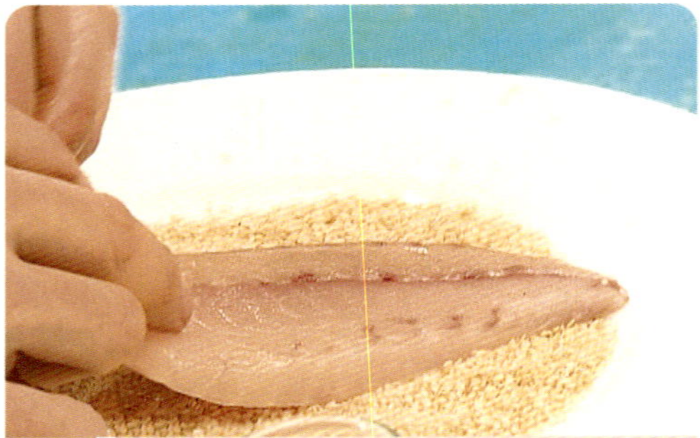

10 Salez et poivrez l'autre face. Panez les côtés huilés avec les graines de sésame.

11 Dans une poêle, faites chauffer de l'huile d'olive et du beurre. Saisissez les filets à feu vif côté sésame.

12 Baissez le feu. Arrosez chaque filet de beurre en le retournant délicatement et régulièrement.

LES CONSEILS DE CYRIL

- *Le beurre dans la poêle permet au sésame de blondir.*
- *Veillez à ne pas laisser brûler le sésame.*

13 **Préparez la vinaigrette :** huile de sésame, vinaigre balsamique, sel, poivre, coriandre et menthe hachées.

14 Faites cuire les feuilles de lasagne environ une minute dans de l'eau bouillante salée.

15 Dans une assiette, déposez une couche de tomates, une feuille de lasagne et une nouvelle couche de tomates.

16 Déposez les filets de daurade panés sur les tomates et assaisonnez d'un peu de vinaigrette.

LES CONSEILS DE CYRIL

⇢ Saisissez le poisson en appuyant dessus pour ne pas qu'il se rétracte, puis cuisez-le toujours à feu doux afin qu'il reste onctueux.

⇢ Utilisez quelques graines de sésame pour décorer l'assiette.

SOUPE DE CHÂTAIGNES ET SES MOUILLETTES AU BEURRE DE CHÂTAIGNES

Préparation 30 minutes

Pour **2 personnes** | Coût : € | Difficulté : ★

Ingrédients

Soupe :

200 g de châtaignes précuites (sous vide)
35 cl de lait
20 cl de crème liquide
1 cube de bouillon de volaille

Mouillettes et beurre de châtaignes :

3 châtaignes (prises sur les 200 g)
50 g de beurre
1 cuil. à soupe de parmesan
2 tranches de pain aux céréales
1 cuil. à soupe de poudre d'amandes
1 cuil. à soupe de chapelure

Matériel

1 robot mixeur ou 1 mixeur plongeant

CHOISIR LES BONS PRODUITS

→ *Le pain aux céréales peut être remplacé par un pain de campagne ordinaire.*

1 Faites cuire les châtaignes dans le bouillon de volaille pendant 20 min à feu doux.

2 Mélangez le beurre ramolli avec la poudre d'amandes.

3 Ajoutez le parmesan et la chapelure.

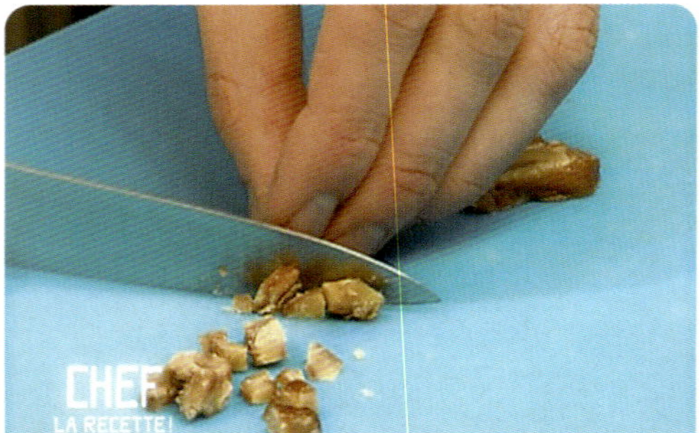

4 Coupez les 3 châtaignes en petits morceaux et ajoutez-les au mélange pour qu'il ramollisse.

LE CONSEIL DE CYRIL

→ *Pensez à sortir le beurre du réfrigérateur pour qu'il ramollisse ou passez-le au micro-ondes quelques instants.*

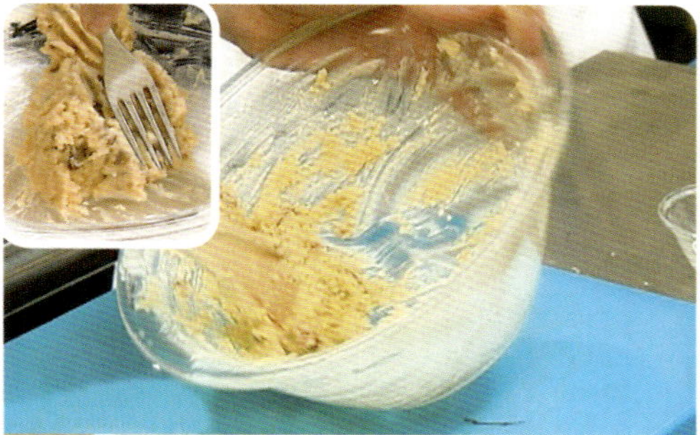

5 Mélangez vigoureusement la préparation avec une fourchette ou une cuillère en bois.

6 Préchauffez le four à 150 °C (th. 5).

7 Faites chauffer les châtaignes précuites avec la moitié du lait...

8 ... et la moitié de la crème.

LE CONSEIL DE CYRIL

···> Ne mettez pas la totalité du lait et de la crème. Si votre soupe était trop liquide, vous ne pourriez plus la rattraper...

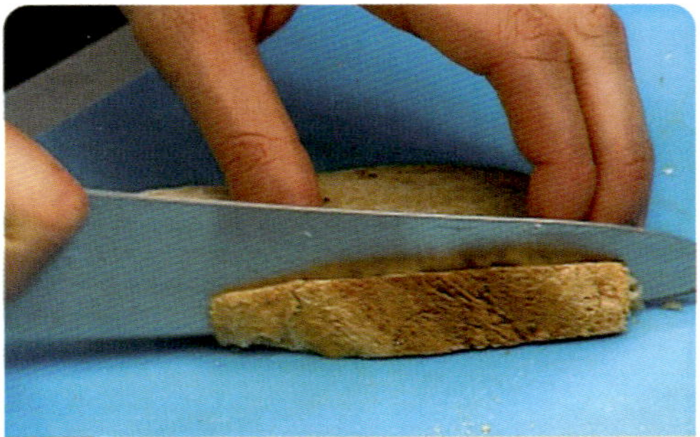

9 Taillez des mouillettes rectangulaires dans les deux tranches de pain.

10 Tartinez-les de beurre de châtaignes et enfournez-les 5 min.

11 Pendant ce temps, mixez les châtaignes avec le lait et la crème.

12 Ajustez l'épaisseur de la soupe à votre convenance avec le reste de lait et de crème.

LE CONSEIL DE CYRIL

→ *Enlevez la croûte du pain pour faire les mouillettes.*

13 Salez et poivrez. Servez la soupe chaude dans de jolis verres accompagnée de quelques mouillettes.

LE CONSEIL DE CYRIL

→ *Vous pouvez améliorer cette recette en ajoutant dans la soupe un peu de crème fouettée avec des noisettes et des châtaignes.*

SAUMON GRILLÉ ET FONDUE DE POIREAUX AU CHEDDAR

PRÉPARATION 20 MINUTES

Pour **2 personnes** | Coût : € | Difficulté : ★

Ingrédients

2 pavés de saumon
1 cuil. à soupe d'huile d'olive

Fondue :

1 poireau
1/2 oignon
50 g de cheddar
10 cl de crème liquide
1 noisette de beurre

Bouillon :

1 morceau de gingembre
1 bâton de citronnelle
20 cl de crème liquide
10 cl de lait
1 pincée de fumet de poisson en poudre

Matériel

1 mixeur plongeant

CHOISIR LES BONS PRODUITS

→ Le cheddar est un fromage anglais au lait de vache.
→ Le bâton de citronnelle vient d'Asie ou d'Afrique. Il existe aussi la citronnelle en feuille que l'on appelle « mélisse ».
→ Le fumet de poisson va relever le goût. Vous pouvez cependant vous en passer si vous n'en avez pas.

1 Préchauffez le four à 180 °C (th. 6).

2 **Préparez l'infusion :** faites frémir le lait mélangé à la crème liquide.

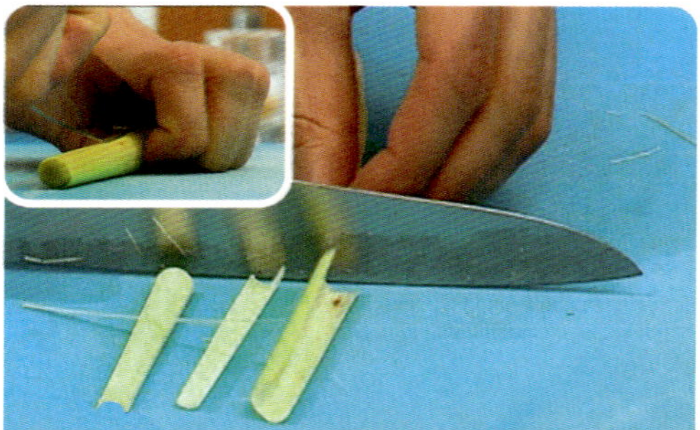

3 Coupez le bâton de citronnelle en deux dans sa longueur puis en tronçons.

4 Ajoutez la citronnelle dans le lait avec le gingembre coupé en petits morceaux.

LE CONSEIL DE CYRIL

→ *Le principe de l'infusion est de faire bouillir puis de laisser infuser hors du feu.*

5 Relevez le goût avec le fumet de poisson, faites bouillir et laissez infuser le mélange hors du feu.

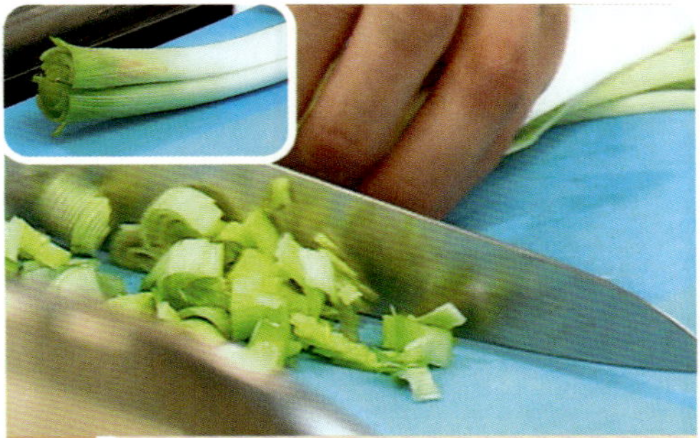

6 **Préparez la fondue :** coupez le poireau en quatre dans le sens de la longueur, lavez-le et émincez-le.

7 Épluchez et coupez l'oignon finement dans un sens puis dans l'autre.

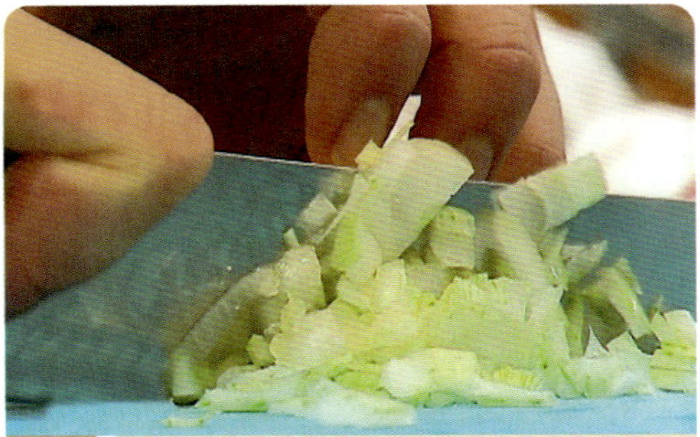

8 Faites-le revenir à feu vif dans du beurre et un peu d'huile.

LES CONSEILS DE CYRIL

→ *Pour bien préparer un poireau, coupez d'abord les racines, puis enlevez la première enveloppe de feuille et lavez-le bien pour ôter toute la terre.*

→ *Ajoutez un peu d'huile au beurre pour éviter qu'il brûle.*

9 Lorsque l'oignon a caramélisé, ajoutez le poireau.

10 Coupez le cheddar en cubes et ajoutez-le au mélange.

11 Versez enfin la crème liquide et laissez refroidir hors du feu. Salez, poivrez.

12 Filtrez le bouillon gingembre-citronnelle et mettez-le de côté.

LE CONSEIL DE CYRIL

···> *Le cheddar est un fromage salé. Pensez à goûter votre fondue avant d'y ajouter du sel !*

13 **Préparez le saumon :** salez et poivrez les pavés de saumon.

14 Saisissez-les côté peau en appuyant dessus pour ne pas qu'ils se rétractent.

15 Faites-les revenir dans l'huile d'olive sur toutes les faces.

16 Faites réchauffer au four la fondue de poireaux et le bouillon parfumé, si nécessaire.

LE CONSEIL DE CYRIL

→ *Faire cuire les pavés sur tous les côtés va permettre une cuisson régulière tout en dorant toutes les faces.*

17 Versez un peu de fondue de poireaux dans chaque assiette. Émulsionnez le bouillon à l'aide d'un mixeur plongeant...

LE CONSEIL DE CYRIL

Pour une présentation plus élégante, n'hésitez pas à servir le saumon dans des assiettes creuses.

18 … et versez-le autour de la fondue de poireaux.
Ajoutez le pavé de saumon sur la fondue.

LE CONSEIL DE CYRIL

Pour apporter une touche de couleur supplémentaire, déposez quelques feuilles d'estragon sur chaque pavé de saumon.

ENTRECÔTE AUX OIGNONS CONFITS ET GRATIN DAUPHINOIS

PRÉPARATION 1 HEURE

Pour **2 personnes** | Coût : €€€ | Difficulté : ★

Ingrédients

2 entrecôtes
10 g de beurre
1 cuil. à soupe d'huile d'olive
Sel et poivre du moulin

Gratin dauphinois :

500 g de pommes de terre
50 g de comté
20 cl de crème liquide
30 cl de lait
1 gousse d'ail
Noix muscade

Oignons confits :

250 g d'oignons
3 cuil. à soupe de sucre
3 cuil. à soupe de vinaigre de vin
3 cuil. à soupe d'huile d'olive
1 branche de thym
1 feuille de laurier
Sel et poivre du moulin

CHOISIR LES BONS PRODUITS

→ La noix muscade peut être remplacée par de la poudre et le comté par un autre fromage à pâte cuite.
→ Une viande rouge de qualité est persillée (marbrée de gras). À la cuisson, ce gras va fondre et assouplir la viande.

1 Préchauffez le four à 180 °C (th. 6).

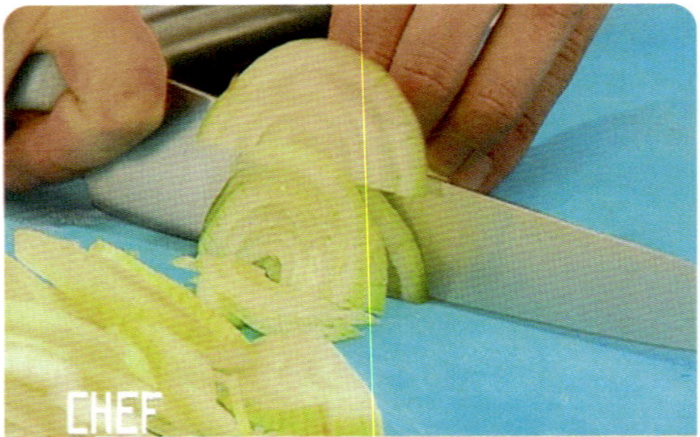

2 **Préparez les oignons confits :** épluchez et émincez les oignons.

3 Faites-les revenir à feu vif dans l'huile d'olive puis baissez le feu.

4 **Préparez le gratin dauphinois :** épluchez et coupez les pommes de terre en lamelles.

LE CONSEIL DE CYRIL

Taillez les pommes de terre en tranches régulières d'un demi-centimètre pour qu'elles cuisent de façon homogène et sans se désagréger. Testez leur cuisson avec un couteau. Elles ne doivent pas cuire totalement puisque leur cuisson va se terminer dans le four.

5 Dans un faitout, faites chauffer, à feu doux, le lait avec la crème liquide.

6 Ajoutez les pommes de terre. Parfumez d'une gousse d'ail écrasée.

7 Salez, poivrez et ajoutez un peu de noix muscade. Faites cuire à feu doux environ 15 min.

8 Lorsque les oignons sont translucides, ajoutez le vinaigre de vin, le sucre...

LE CONSEIL DE CYRIL

···> *Laissez les oignons compoter doucement et rendre leur eau.*

9 … le thym et le laurier.
Laissez cuire à feu très doux
pendant 15 min.

10 Coupez quelques tranches fines de comté et râpez le reste.

11 Garnissez de pommes de terre le fond d'un plat à gratin. Recouvrez du mélange lait-crème.

12 Ajoutez les tranches de comté. Alternez par dessus, pommes de terre et lait-crème.

LES CONSEILS DE CYRIL

- *La crème va épaissir durant la cuisson.*
- *N'hésitez pas à faire des portions individuelles en utilisant des petits plats à gratin.*

13 Terminez par le comté râpé et mettez à gratiner au four environ 10 min.

14 Surveillez vos oignons confits pour ne pas qu'ils accrochent à la poêle.

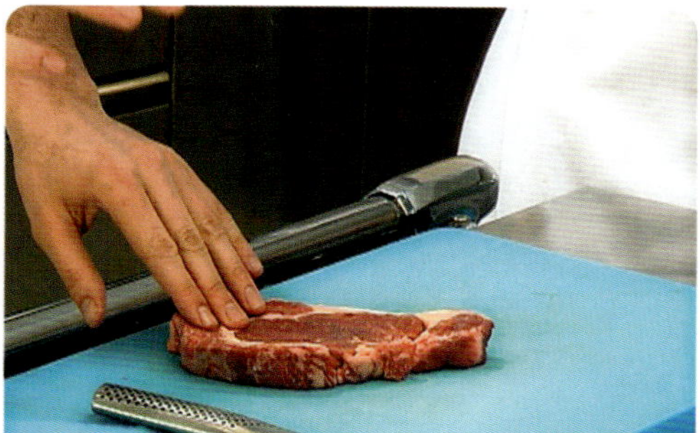

15 **Préparez les entrecôtes :** tapez la viande de la paume de la main pour l'assouplir.

16 Salez et poivrez les entrecôtes sur les deux faces.

LE CONSEIL DE CYRIL

→ Si les oignons accrochent à la poêle, rajoutez un peu d'huile d'olive.

17 Poêlez-les dans un peu de beurre et d'huile d'olive, à feu vif, 5 à 6 min.

18 Retournez les entrecôtes régulièrement.

19 Ajoutez les oignons confits et recouvrez-en les entrecôtes.

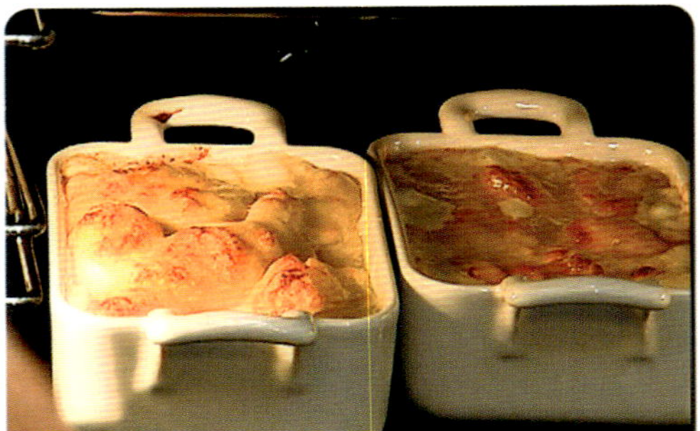

20 Sortez les gratins du four après avoir vérifié la cuisson avec un couteau.

LE CONSEIL DE CYRIL

La cuisson est un moment crucial : pensez à demander à chaque invité la cuisson qu'il préfère.

21 Dressez une assiette avec l'entrecôte garnie de ses oignons confits accompagnée du gratin dauphinois.

LE CONSEIL DE CYRIL

Si vous avez préparé le gratin dans des plats individuels, vous pouvez les mettre directement dans chaque assiette.

PIPERADE AU JAMBON CROUSTILLANT

PRÉPARATION 30 MINUTES

Pour **2 personnes** | Coût : € | Difficulté : ★

Ingrédients

100 g de jambon basque
2 tomates « cœur de bœuf »
2 piments doux
2 œufs
50 g d'amandes émondées
1 pincée de piment d'Espelette
2 oignons
1 gousse d'ail
1 cuil. à soupe d'huile d'olive
Sel et poivre du moulin

CHOISIR LES BONS PRODUITS

→ *Préférez une tomate « cœur de bœuf » dont la chair est plus ferme.*

1 Épluchez les tomates après les avoir ébouillantées 5 secondes.

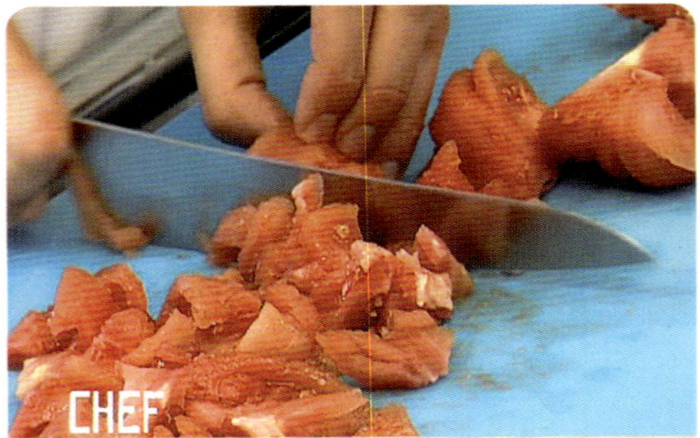

2 Enlevez les pépins et coupez les tomates en morceaux.

3 Épluchez et émincez les oignons. Faites-les revenir dans un filet d'huile d'olive.

4 Coupez les piments en lanières puis en petits carrés.

LES CONSEILS DE CYRIL

···> *Avant d'ébouillanter la tomate, retirez le pédoncule et incisez la peau en croix sur le dessous.*

···> *Commencez la cuisson des oignons à feu vif pour faire éclater les saveurs avant de les laisser compoter en baissant le feu.*

5 Ajoutez dans la poêle les tomates, les piments puis la gousse d'ail hachée.

6 Assaisonnez d'une pincée de piment d'Espelette. Salez et poivrez.

7 Laissez mijoter 10 min environ. Ajoutez un filet d'eau à la piperade si nécessaire.

8 Découpez le jambon basque en petites lanières et faites-les dorer à part et à sec dans une autre poêle.

LE CONSEIL DE CYRIL

→ Lorsque le jambon est croustillant, retirez-le et laissez-le refroidir.

9 Battez les œufs en omelette et versez-les dans le mélange de légumes.

10 Remuez en faisant « prendre » les œufs puis retirez rapidement du feu. Mélangez.

11 Dans la même poêle que le jambon, faites dorer les amandes émondées...

12 ... puis hachez-les au couteau.

LE CONSEIL DE CYRIL

---> *Retirez la piperade lorsqu'elle est onctueuse (avant que l'œuf ne cuise trop).*

13 Présentez la piperade dans un joli verre, saupoudrée d'amandes hachées et décorée de jambon croustillant ou mélangez tous les ingrédients avant d'en garnir les verres.

LE CONSEIL DE CYRIL

→ *Pour une touche de couleur supplémentaire, ajoutez une branche d'estragon ou un peu de coriandre.*

TEMPURA DE CREVETTES AU SÉSAME

PRÉPARATION 20 MINUTES

Pour **2 personnes** | Coût : €€ | Difficulté : ★★

Ingrédients

200 g de grosses crevettes crues (gambas)
1 œuf
1 1/2 cuil. à soupe de graines de sésame
100 g de farine
3 cuil. à soupe de sauce soja
1 litre d'huile pour friture

Matériel

Papier absorbant

CHOISIR LES BONS PRODUITS

→ *La tempura est une pâte à beignets d'origine asiatique. Elle est facile à préparer, mais vous pouvez acheter de la pâte toute faite.*

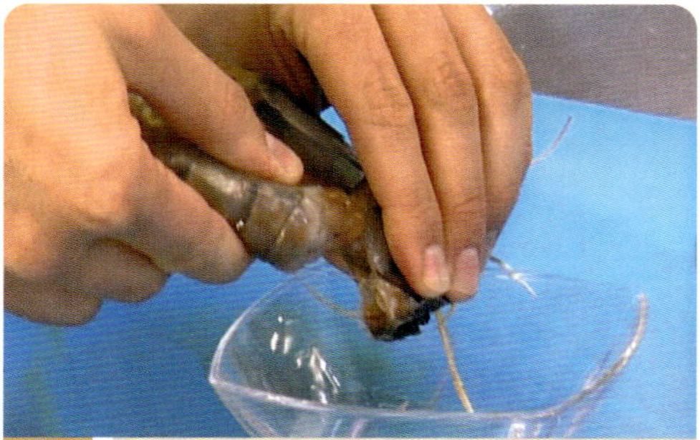

1 Ôtez la tête des crevettes et décortiquez-les en conservant le dernier anneau et la queue.

2 Fendez les crevettes le long de la partie dorsale et ôtez, si nécessaire, le filament noir.

3 Faites chauffer l'huile de friture dans une grande casserole remplie à moitié.

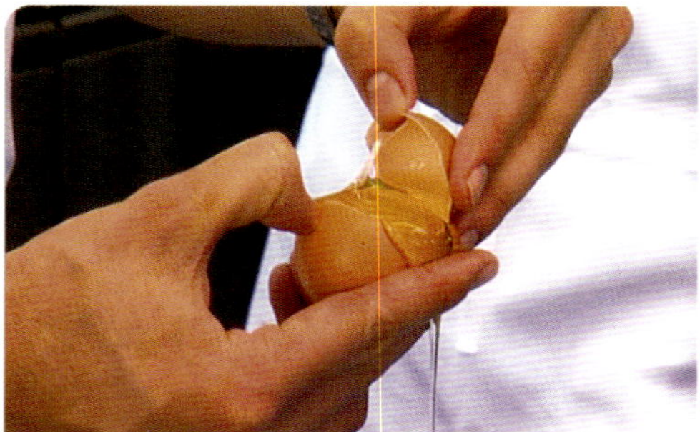

4 Dans un bol, cassez l'œuf en séparant le blanc du jaune.

LE CONSEIL DE CYRIL

→ *Cassez toujours les œufs à plat sur le plan de travail afin d'éviter que des coquilles ne tombent dans la préparation.*

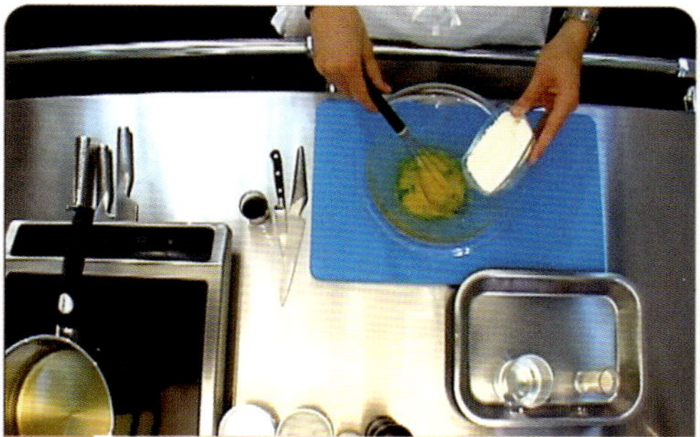

5 Avec un fouet, battez le jaune et la farine...

6 ... puis ajoutez 10 cl d'eau glacée et mélangez bien.

7 La pâte à tempura doit rester épaisse.

8 Mettez les graines de sésame dans un plat. Roulez les crevettes décortiquées dans le sésame.

LE CONSEIL DE CYRIL

→ L'eau glacée permet de délayer la pâte. Une eau trop chaude risquerait de cuire l'œuf et de faire des grumeaux.

9 Plongez-les ensuite une à une dans la pâte à tempura…

10 … puis doucement dans l'huile de friture chaude.

11 Laissez cuire jusqu'à ce que la pâte soit légèrement dorée.

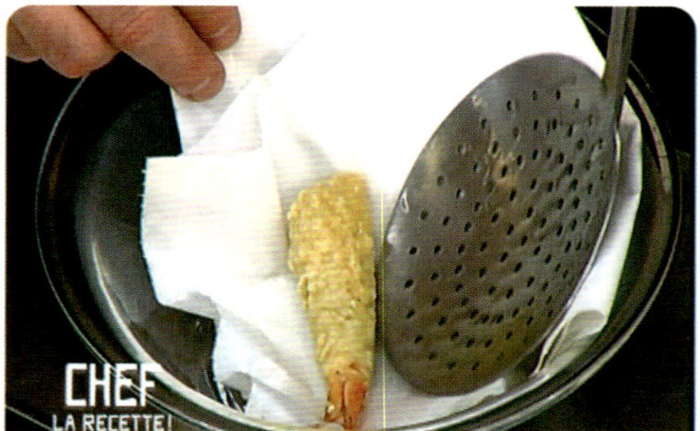

12 Récupérez les crevettes avec une écumoire, puis égouttez-les sur du papier absorbant.

LE CONSEIL DE CYRIL

→ *Testez la température de l'huile en tenant la première crevette par la queue et en plongeant délicatement l'autre extrémité dans l'huile.*

13 Présentez les crevettes dans une petite assiette accompagnées de sauce soja.

LE CONSEIL DE CYRIL

→ Si vous ne possédez pas de friteuse, utilisez une grande casserole en restant très prudent avec l'huile chaude.

TARTE FINE POIRE-ROQUEFORT,
SALADE DE BROCOLIS AU BACON

PRÉPARATION 45 MINUTES

Pour **2 personnes** | Coût : € | Difficulté :

Ingrédients

Tarte fine :

2 poires
100 g de roquefort
1 jaune d'œuf
1 rouleau de pâte brisée
Farine (pour le plan de travail)
2 cuil. à soupe de cerneaux de noix

Salade :

4 tranches fines de bacon
200 g de brocolis
Cerfeuil
Ciboulette
Estragon
5 cl de vinaigre de vin
15 cl d'huile d'arachide
1 cuil. à café d'huile d'olive
Sel et poivre du moulin

Matériel

Papier sulfurisé

CHOISIR LES BONS PRODUITS

→ *Le roquefort peut être remplacé par un autre fromage à pâte fleurie. C'est le pénicillium qui donne le « bleu » au roquefort.*

1 Portez un grand volume d'eau salée à frémissement, faites-y cuire le brocoli séparé en petits bouquets.

2 Stoppez la cuisson en les plongeant dans l'eau glacée, égouttez-les puis laissez-les refroidir.

3 Préparez une vinaigrette en mélangeant l'huile d'arachide et le vinaigre de vin. Salez, poivrez.

4 Ajoutez la ciboulette, le cerfeuil et l'estragon finement ciselés.

LES CONSEILS DE CYRIL

- *Testez la cuisson du brocoli en le piquant avec un couteau. Il doit être moelleux mais rester ferme.*
- *Plonger le brocoli dans l'eau glacée permet de fixer sa couleur et de conserver ses vitamines.*
- *N'utilisez que les feuilles de l'estragon.*

5 Versez la vinaigrette sur les brocolis. Préchauffez le four à 180 °C (th. 6).

6 Farinez le plan de travail et étalez la pâte brisée. Découpez deux rectangles dans la pâte.

7 Placez ces fonds de tarte sur la plaque du four recouverte d'un papier sulfurisé.

8 Piquez la pâte, puis dorez les bords à l'œuf.

LES CONSEILS DE CYRIL

→ Assaisonnez les brocolis immédiatement après avoir fait la vinaigrette pour qu'ils puissent bien s'en imprégner.

→ Ajoutez une cuillerée d'eau de cuisson du brocoli dans la vinaigrette pour lui donner plus de goût.

9 Soudez les deux longueurs puis dorez toute la surface. Ciselez les rebords avec un couteau.

10 Épluchez les poires et coupez-les en fines lamelles. Déposez-les sur chaque tarte.

11 Faites légèrement dorer les cerneaux de noix dans une poêle.

12 Parsemez chaque tarte de petits morceaux de roquefort et de cerneaux de noix. Poivrez.

LE CONSEIL DE CYRIL

→ *Utilisez un pinceau pour badigeonner l'œuf. Si vous n'en possédez pas, utilisez du papier absorbant.*

13 Faites cuire les tartes au four 15 à 20 min.

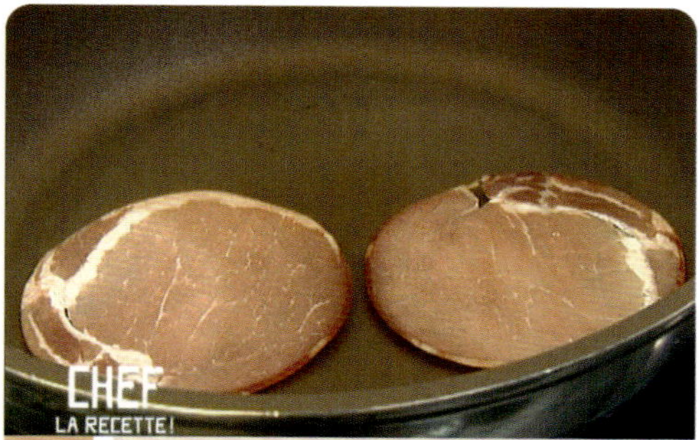

14 Dans une poêle, faites dorer le bacon à sec.

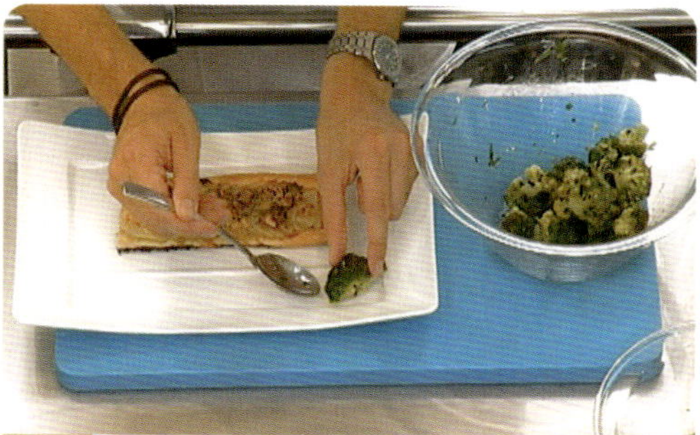

15 Présentez les tartes fines poire-roquefort accompagnées de salade de brocolis…

16 … et de tranches de bacon croustillantes. Ajoutez quelques gouttes d'huile d'olive et un peu de poivre.

LE CONSEIL DE CYRIL

→ *Cette tarte sera encore meilleure si vous la dégustez tiède.*

CHEF, LES DESSERTS !

TIRAMISU D'HIVER À LA POIRE, MACARON AU CHOCOLAT ET À LA FLEUR DE JASMIN

PRÉPARATION 45 MINUTES

Pour **2 personnes** | Coût : €€ | Difficulté : ★★

Ingrédients

2 poires
2 jaunes d'œufs
100 g de mascarpone
10 cl de crème liquide
55 g de sucre
Eau de fleur de jasmin
6 macarons au chocolat

Matériel

1 batteur ou 1 fouet

CHOISIR LES BONS PRODUITS

→ Vous trouverez de l'eau de fleur de jasmin dans les boutiques spécialisées ou en pharmacie.
→ Pour cette recette, vous pouvez aussi utiliser des poires au sirop.

1 Préparez le tiramisu : montez la crème liquide en crème fouettée dans un saladier très froid.

2 Quand elle est bien épaisse, ajoutez délicatement le mascarpone et mélangez.

3 Cassez 2 œufs et récupérez les jaunes.

4 Fouettez les jaunes d'œufs avec 35 g de sucre et faites blanchir le mélange.

LES CONSEILS DE CYRIL

- *La crème monte plus facilement lorsqu'elle est bien fraîche et que le saladier est froid. Il faut donc la monter rapidement avant qu'elle ne se réchauffe...*
- *Les œufs doivent être à température ambiante.*

5 Ajoutez-le à la crème et au mascarpone.

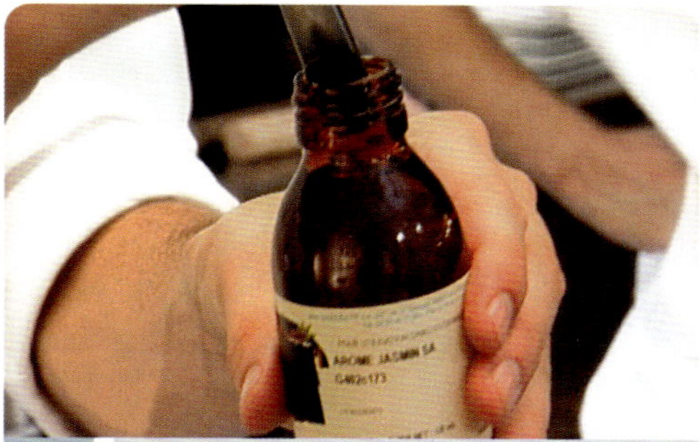

6 Versez 2 gouttes d'eau de fleur de jasmin.

7 Mélangez une dernière fois et finissez au fouet avant de mettre la préparation au réfrigérateur.

8 Réalisez le sirop : faites chauffer doucement 20 cl d'eau...

LE CONSEIL DE CYRIL

Le sirop doit chauffer doucement. Ôtez-le du feu dès que le sucre a fondu, avant qu'il ne tourne en caramel.

9 … les 20 g de sucre…

10 … et 3 gouttes d'eau de fleur de jasmin.

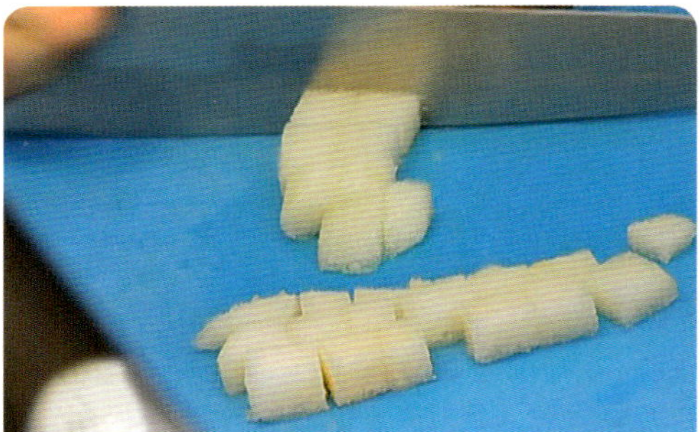

11 Pelez les poires, retirez le trognon et coupez-les en petits dés.

12 Arrosez-les du sirop un peu refroidi et mélangez bien. Gardez au frais.

LES CONSEILS DE CYRIL

⇢ *Coupez les fruits en petits dés, ils seront plus agréables en bouche.*

⇢ *La crème est liquide mais va ensuite se figer au réfrigérateur.*

13 Dans un joli verre, alternez les couches de poires, de crème mascarpone et de macarons brisés en morceaux selon votre goût.

LE CONSEIL DE CYRIL

Si vous n'avez pas de grands verres, présentez le tiramisu dans une assiette.

MINESTRONE DE FRUITS AUX SAVEURS D'HIVER

PRÉPARATION 45 MINUTES

Pour **2 personnes** | Coût : € € | Difficulté : ✩ ✩

Ingrédients

4 prunes reines-claudes
1 banane
1 orange
2 figues
1 kiwi
1 poire
1 grappe de raisin
(noir de préférence)
1/2 ananas
25 cl de sorbet pomme verte
Romarin en poudre
Poivre du moulin

Sirop :

30 cl de nectar d'abricot
35 g de sucre
1 citron vert
1 gousse de vanille
4 feuilles de basilic

CHOISIR LES BONS PRODUITS

→ Un ananas mûr est coloré (jaune). Un ananas dont la peau est encore verte doit mûrir quelques jours.
→ Une banane tachetée est une banane mûre.
→ Si vous n'avez pas de gousse de vanille, vous pouvez remplacer le sucre par du sucre vanillé.

1 Préparez le sirop : versez le sucre dans une casserole et ajoutez 25 cl d'eau. Mettez à chauffer à feu vif.

2 Râpez un citron vert au-dessus pour récupérer les zestes.

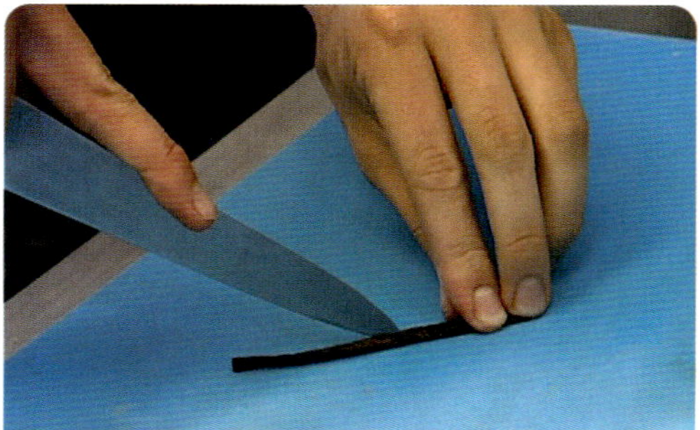

3 Coupez la gousse de vanille dans le sens de la longueur…

4 … et extrayez les graines à l'aide d'un couteau.

LE CONSEIL DE CYRIL

→ Pour cette recette, préférez un citron vert à un citron jaune : il parfumera davantage le sirop.

5 Ajoutez les graines de vanille au sirop.

6 Mélangez pour faire éclater les saveurs de la vanille puis éteignez le feu pour laisser infuser.

7 Lavez et hachez les feuilles de basilic. Ajoutez-les au sirop.

8 Versez le nectar d'abricot dans le sirop.

LES CONSEILS DE CYRIL

→ Mettre le sirop à feu vif permet de faire éclater les saveurs.

→ Incorporez rapidement les ingrédients avant que le sirop ne se transforme en caramel.

9 Remuez bien et laissez infuser à nouveau hors du feu.

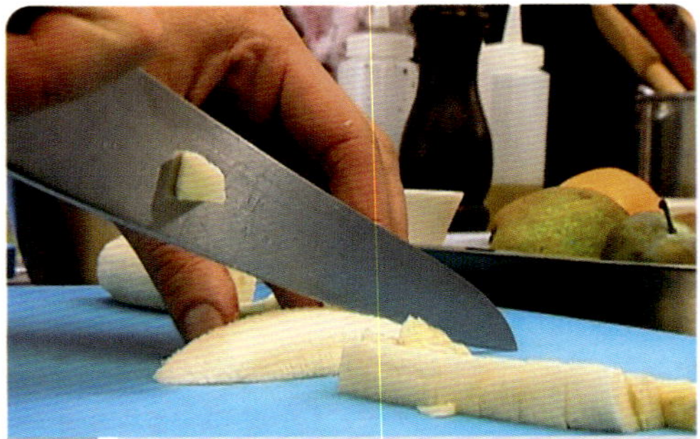

10 Coupez très rapidement la banane en petits dés.

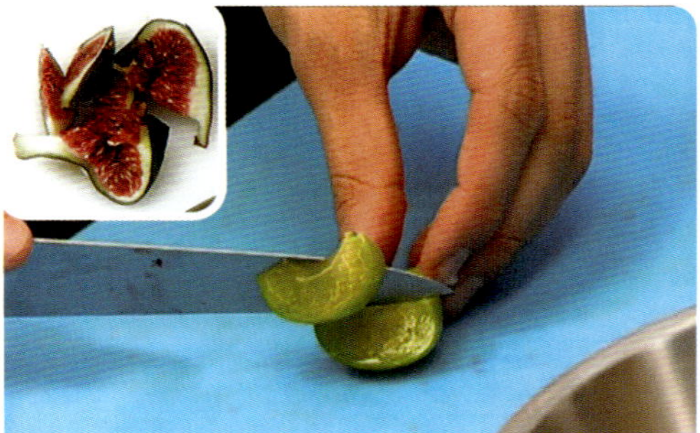

11 Taillez les prunes et les figues en quartiers.

12 Épluchez le kiwi et coupez-le en petits morceaux.

LES CONSEILS DE CYRIL

- *Coupez les fruits en petits dés réguliers, ils seront plus agréables en bouche.*
- *Coupez les fruits rapidement pour qu'ils n'aient pas le temps de s'oxyder.*

13 Coupez enfin la poire.
Ôtez le trognon et coupez-la en petits dés.

14 Pelez l'orange à vif (ôtez la peau avec un couteau en épousant la forme de l'orange).

15 Incisez-la le long des membranes blanches jusqu'au cœur et récupérez la chair.

16 Pressez ce qui reste de l'orange avec les mains pour en extraire le jus au-dessus du saladier.

LE CONSEIL DE CYRIL

→ *L'acidité du jus d'orange évite aux fruits de s'oxyder.*

17 Ajoutez les grains de raisin. Ôtez la peau et le cœur de l'ananas et coupez-le en petits cubes.

18 Placez les fruits au milieu d'une assiette creuse et ajoutez un soupçon de poivre du moulin.

19 Versez délicatement le sirop sur les fruits à l'aide d'une cuillère.

20 Faites une jolie quenelle bien arrondie avec le sorbet pomme verte et déposez-la dans l'assiette.

LES CONSEILS DE CYRIL

→ *Pour donner une jolie forme à vos boules de glace, utilisez une cuillère à soupe.*

→ *Pour faire la quenelle de glace plus facilement, passez votre cuillère à soupe sous l'eau chaude.*

21 Disposez quelques feuilles d'ananas au-dessus des fruits. Saupoudrez de romarin en poudre sur le rebord de l'assiette pour décorer.

LES CONSEILS DE CYRIL

→ L'été, servez le sirop très frais. Le reste de l'année, servez-le à température ambiante.

→ Vous pouvez remplacer les feuilles d'ananas par des feuilles de basilic.

GALETTE DES ROIS FRANGIPANE ET CHOCOLAT

PRÉPARATION 1 HEURE

Pour **2 personnes** | Coût : € | Difficulté : ★★★

Ingrédients

Galette :

1 jaune d'œuf
1 rouleau de pâte feuilletée
40 g de chocolat noir

Crème pâtissière :

2 jaunes d'œufs
25 cl de lait entier
25 g de sucre vanillé
1 cuil. à soupe de farine de maïs

Crème d'amandes :

1 œuf
20 g de beurre
50 g de poudre d'amandes
50 g de sucre en poudre
1 cuil. à soupe de rhum

Matériel

1 fouet
1 pinceau ou du papier absorbant

CHOISIR LES BONS PRODUITS

→ *Le chocolat noir doit contenir au moins 60% de cacao.*

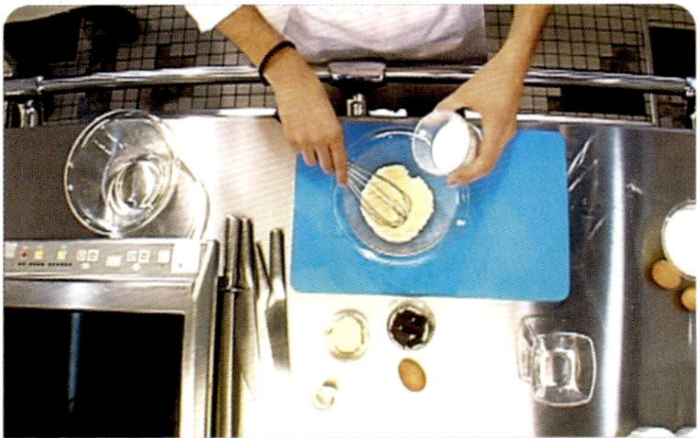

1 **Préparez la crème d'amandes :** mélangez la poudre d'amandes et le sucre.

2 Fouettez l'œuf entier dans un bol. Faites ramollir le beurre au micro-ondes.

3 Ajoutez le beurre ramolli au mélange poudre d'amandes et sucre.

4 Versez ensuite l'œuf battu, le rhum et mélangez bien.

LES CONSEILS DE CYRIL

---> Cassez toujours les œufs à plat sur le plan de travail et non sur le rebord du saladier afin d'éviter que des coquilles ne tombent dedans.

---> Mélangez le beurre ramolli avec les mains, ce sera plus facile.

5 Coupez le chocolat noir en copeaux.

6 Préparez la crème pâtissière : faites d'abord chauffer le lait.

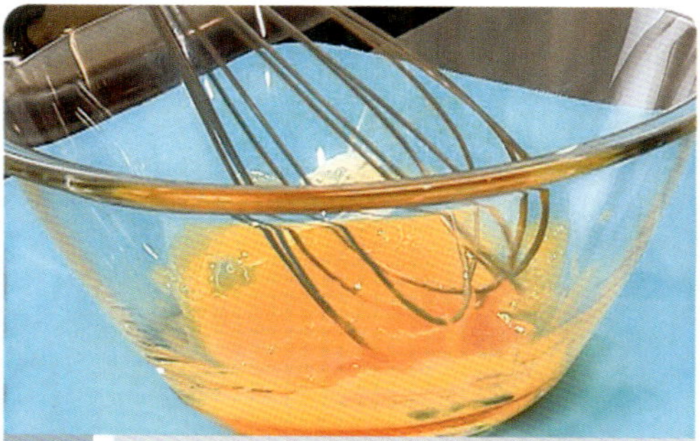

7 Fouettez les jaunes d'œufs avant d'y ajouter le sucre vanillé.

8 Incorporez la farine de maïs puis le lait chaud.

LE CONSEIL DE CYRIL

→ On peut faire la galette uniquement avec la crème d'amandes mais la crème pâtissière va la rendre plus onctueuse et moins sèche.

9 Mélangez bien et versez à nouveau dans la casserole. Démarrez à feu vif.

10 Baissez le feu dès l'ébullition. Laissez épaissir la crème pâtissière puis retirez-la du feu.

11 Ajoutez-la à la crème d'amandes progressivement pour obtenir une frangipane plus ou moins épaisse.

12 Gardez au réfrigérateur. Préchauffez le four à 180 °C (th. 6).

LE CONSEIL DE CYRIL

Vous n'êtes pas obligé d'incorporer toute la crème pâtissière. Faites selon votre goût !

13 Découpez dans la pâte feuilletée 4 disques à l'aide d'un bol ou d'un petit saladier.

14 Piquez les disques de pâte à l'aide d'une fourchette.

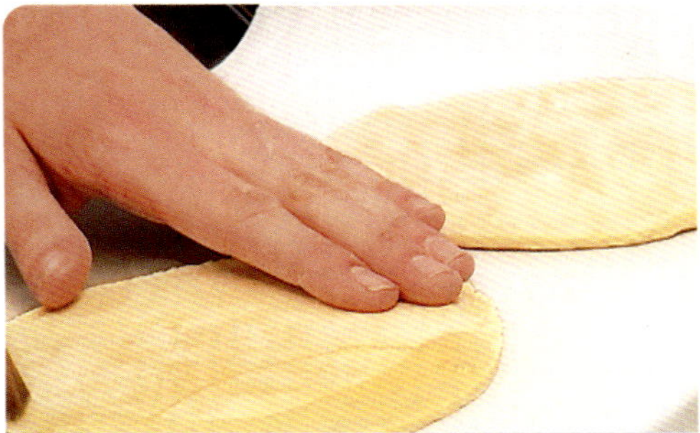

15 Avec un pinceau, dorez à l'œuf la périphérie des 2 premiers disques.

16 Déposez un peu de frangipane au centre de ces deux disques.

LE CONSEIL DE CYRIL

Si vous n'avez pas de pinceau pour dorer à l'œuf, utilisez du papier absorbant.

17 Saupoudrez de copeaux de chocolat.

18 Recouvrez les 2 galettes des 2 disques de pâte restants.

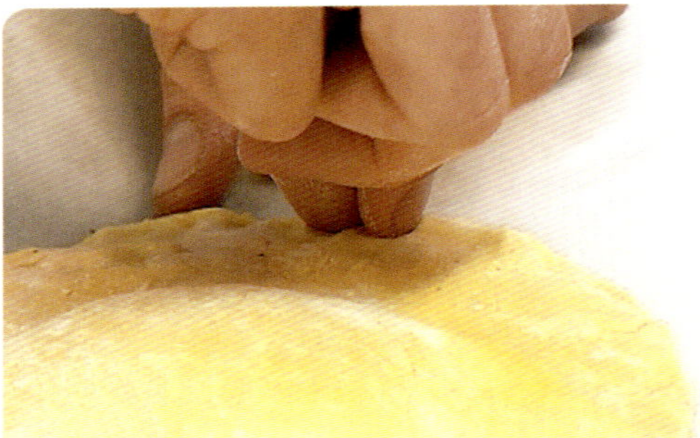

19 Pincez les bords pour souder les épaisseurs et fermez la galette.

20 Décorez-la de la pointe d'un couteau et dorez-la à l'œuf.

LE CONSEIL DE CYRIL

→ *N'oubliez pas la fève avant de fermer la galette !*

21 Faites cuire les galettes au four environ 20 min jusqu'à ce qu'elles soient bien dorées.

LE CONSEIL DE CYRIL

→ *Les copeaux de chocolat sont facultatifs. Écoutez vos envies et laissez libre cours à votre imagination !*

CRAQUANTS DE BANANE AU CHOCOLAT ET CARAMEL

PRÉPARATION 45 MINUTES

Pour **2 personnes** | Coût : € | Difficulté : ★★★

Ingrédients

Craquants :

25 g de beurre
1 rouleau de pâte filo
3 cuil. à soupe de sucre

Bananes au caramel :

2 bananes
65 g de sucre
15 cl de crème liquide

Mousse au chocolat :

2 œufs
20 cl de crème liquide
150 g de chocolat noir
20 g de sucre en poudre
1 filet d'huile d'arachide

Matériel

1 fouet
1 pinceau ou du papier absorbant

CHOISIR LES BONS PRODUITS

→ Une banane est mûre quand elle commence à se tacheter.
→ Choisissez un chocolat ayant environ 60% de cacao.
→ Vous pouvez remplacer la pâte filo par une feuille de brique.

1 Préparez la mousse au chocolat : faites fondre le chocolat noir au micro-ondes.

2 Dans un saladier bien froid, fouettez la crème.

3 Préparez un sirop en mélangeant le sucre avec un peu d'eau.

4 Séparez les blancs des jaunes d'œufs.

LE CONSEIL DE CYRIL

Faites fondre le chocolat 30 secondes au micro-ondes et remuez-le pour que le chocolat de dessous ne brûle pas. Remettez au micro-ondes et renouvelez l'opération jusqu'à ce qu'il ait complètement fondu.

5 Ajoutez un filet d'huile d'arachide dans le chocolat et mélangez bien.

6 Fouettez les jaunes d'œufs vigoureusement.

7 Incorporez-y le sirop chaud.

8 Ajoutez le chocolat fondu et la crème puis fouettez le tout.

LE CONSEIL DE CYRIL

→ *L'huile va assouplir le chocolat et lui donner un aspect lisse et brillant.*

9 Préchauffez le four à 150 °C (th. 5).

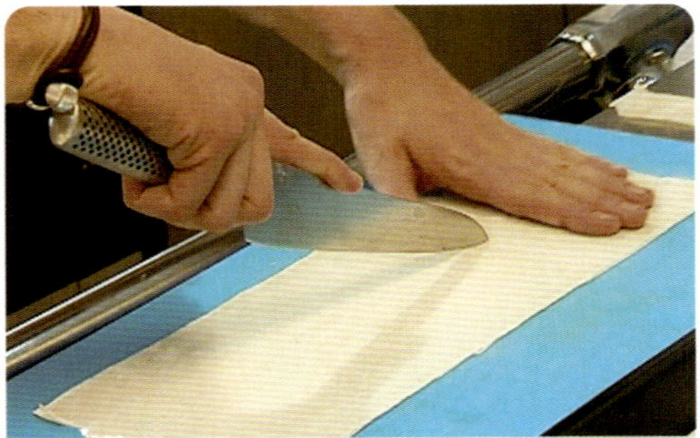

10 Étalez une bande de pâte filo, et coupez-la en deux dans la longueur.

11 Découpez des rectangles de taille identique en les superposant pour garder un gabarit.

12 Faites fondre le beurre. Badigeonnez-en 2 rectangles superposés et saupoudrez de sucre.

LE CONSEIL DE CYRIL

Badigeonnez les rectangles à l'aide d'un pinceau ou d'un papier absorbant.

13 Recouvrez de 2 rectangles, beurrez et sucrez de nouveau… Réalisez ainsi 3 épaisseurs de 2 rectangles.

14 Laissez dorer les craquants quelques minutes sur la plaque du four.

15 Préparez les bananes au caramel : dans une poêle, mélangez le sucre et 2 cuillerées à soupe d'eau.

16 Chauffez sans remuer pour laisser le caramel prendre.

LES CONSEILS DE CYRIL

- *Préparez 2 craquants par personne.*
- *Surveillez la cuisson des craquants qui est très rapide.*
- *Ne remuez le caramel qu'au début, le temps que le sucre fonde, puis n'y touchez plus. Le fait d'y incorporer de l'air empêcherait le caramel de prendre.*

17 Épluchez les bananes et coupez-les en rondelles épaisses.

18 Quand le caramel a pris une belle couleur blonde, ajoutez la crème liquide (gardez-en 1 cuil. à soupe).

19 Éteignez le feu. Mettez les rondelles de bananes dans le caramel et enrobez-les bien.

20 Ajoutez la cuillerée à soupe de crème restante.

LE CONSEIL DE CYRIL

→ *Cette crème reste à température ambiante et est plus crémeuse qu'une crème au chocolat classique.*

21 Dans une assiette, superposez la mousse au chocolat, les bananes caramélisées et les craquants.

LE CONSEIL DE CYRIL

→ Vous pouvez servir ce dessert comme un mille-feuilles ou bien intercaler simplement les craquants entre la mousse et les bananes.

MOUSSE CROQUANTE AU CAFÉ ET AUX POMMES CARAMÉLISÉES

PRÉPARATION 30 MINUTES

Pour **2 personnes** | Coût : € | Difficulté : ✪ ✪

Ingrédients

Mousse au café :

2 œufs
60 g de mascarpone
20 cl de crème liquide
1 cuil. à soupe de café soluble
25 g de sucre en poudre
6 boudoirs
Sel

Pommes caramélisées :

2 pommes clochardes
Le jus de 1 citron
25 g de beurre
25 g de sucre en poudre
20 g de pignons de pin
1 bonne pincée de cannelle

Matériel

1 fouet
1 robot pour monter les blancs en neige

CHOISIR LES BONS PRODUITS

→ *Ne prenez pas des pommes trop acides. Choisissez plutôt une variété sucrée et goûteuse. La mousse au café étant très peu sucrée, c'est la pomme qui va apporter le sucre.*

Montez 15 cl de crème en crème fouettée dans un saladier très froid. Gardez au frais.

Préparez les pommes caramélisées : pelez les pommes. Ôtez le tronçon et coupez-les en petits morceaux.

Faites-les revenir dans une poêle avec le beurre et la cannelle.

Ajoutez les pignons de pin...

LES CONSEILS DE CYRIL

Les fruits coupés régulièrement seront plus agréables en bouche.

Pour réussir une crème fouettée, il est important d'utiliser un contenant préalablement refroidi au réfrigérateur.

5 ... puis le sucre en poudre.

6 Versez enfin le jus de citron.

7 Mélangez et laissez cuire à feu doux 15 min environ.

8 Préparez la mousse : faites chauffer 5 cl de crème liquide dans une casserole.

LE CONSEIL DE CYRIL

→ *Le jus de citron va déglacer la préparation aux pommes.*

9 Diluez le café soluble dans la crème liquide.

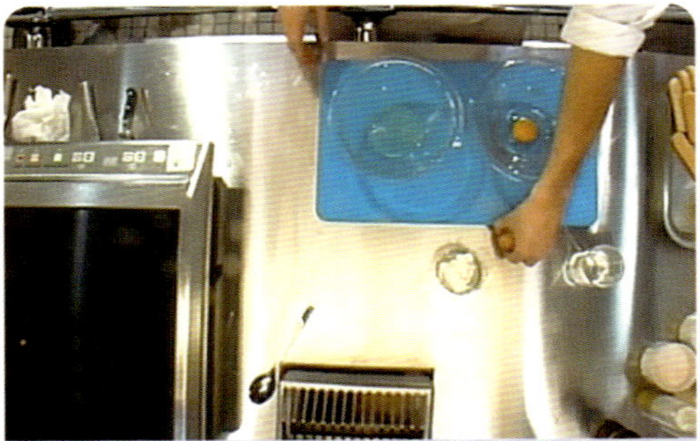

10 Cassez les œufs, en séparant les jaunes des blancs (gardez les blancs de côté).

11 Fouettez les jaunes d'œuf.

12 Incorporez le mascarpone. Mélangez bien et terminez au fouet.

LE CONSEIL DE CYRIL

→ N'utilisez pas de café liquide, le résultat ne serait pas assez crémeux.

13 Préparez un sirop en mélangeant dans une casserole le sucre en poudre avec un peu d'eau.

14 Montez les blancs en neige en ajoutant une pincée de sel.

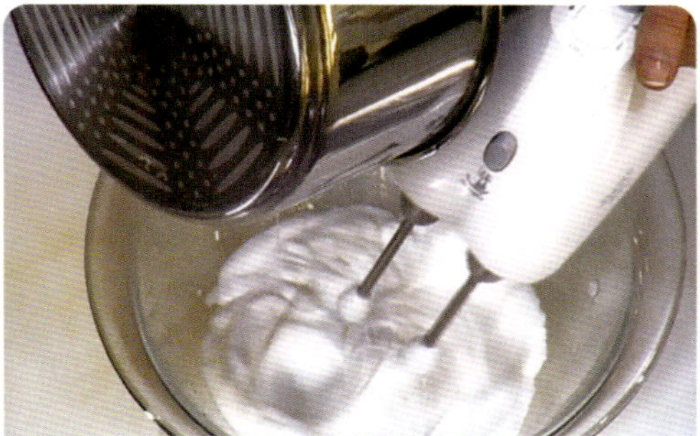

15 Versez-y le sirop bouillant sans cesser de battre (meringue italienne).

16 Avec une spatule, ajoutez délicatement ces blancs en neige au mélange jaunes d'œufs-mascarpone.

LES CONSEILS DE CYRIL

→ *Ne cessez jamais de battre les blancs lorsque vous les montez !*

→ *Le sirop chaud va cuire le blanc d'œuf et le monter en meringue. Fouettez jusqu'à ce que la meringue soit froide.*

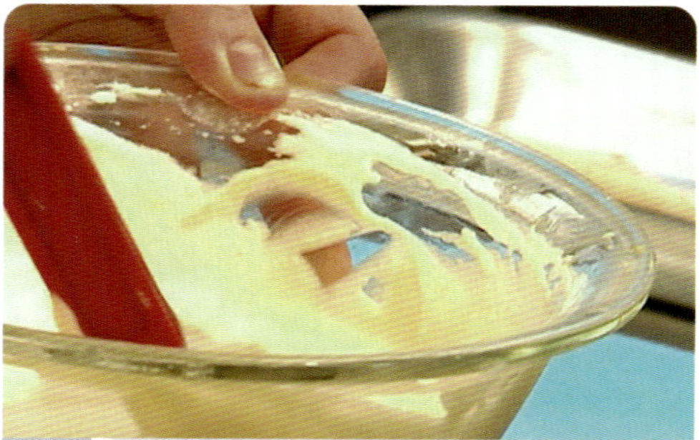

17 Incorporez délicatement la crème fouettée au mélange.

18 Ajoutez enfin la crème parfumée au café.

19 Servez dans de jolis verres en alternant les couches : pommes...

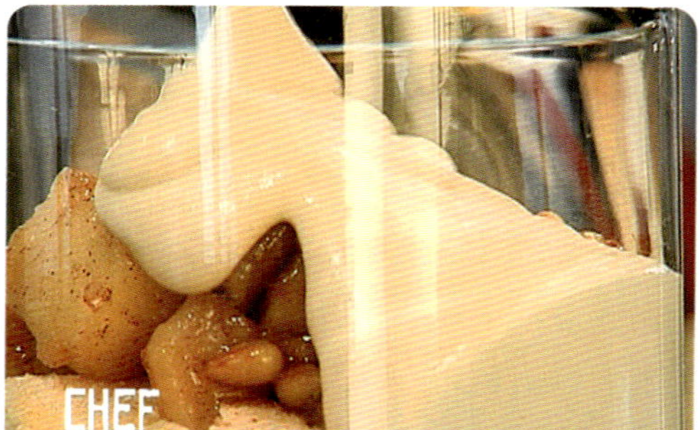

20 ... crème et boudoirs en petits morceaux.

LE CONSEIL DE CYRIL

⟶ Les boudoirs apportent un côté croquant. Ils peuvent tout à fait être remplacés par des morceaux de cookies ou de macarons...

21 Faites plusieurs couches (selon votre goût) et décorez le dessus de quelques morceaux de pommes.

LE CONSEIL DE CYRIL

··· > *Vous pouvez remplacer le café de cette recette par du chocolat si vous êtes accro au choco !*

CRUMBLE POMME PAPAYE ET LAIT DE COCO

PRÉPARATION 45 MINUTES

Pour **2 personnes** | Coût : | Difficulté :

Ingrédients

Crumble :

1/2 papaye
1 pomme (granny)
15 g de noix de coco râpée
50 g de beurre mou
50 g de farine
30 g de sucre
Sel

Lait au coco :

20 cl de lait de coco
10 cl de lait
10 cl de crème liquide
10 g de cassonade

Matériel

1 robot mixeur

CHOISIR LES BONS PRODUITS

→ Choisissez une variété de pommes un peu acide pour contraster avec le goût sucré du crumble. Si vous n'avez pas de fruits acidulés, arrosez-les d'un peu de jus de citron.

1 Pelez la pomme, ôtez le trognon et coupez-la en cubes.

2 Épluchez, épépinez et coupez en morceaux la demi-papaye.

3 Faites fondre les morceaux de pomme dans une noisette de beurre...

4 ...puis ajoutez la papaye et la moitié du sucre. Baissez le feu et laissez compoter pendant 10 min.

LE CONSEIL DE CYRIL

Les pommes vont légèrement se caraméliser dans le beurre. En cuisant, la papaye va rendre l'eau nécessaire à la cuisson.

5 Dans le bol du mixeur, mélangez le lait de coco, le lait...

6 ... la crème liquide et la cassonade. Mixez puis gardez au frais.

7 Préchauffez le four à 180 °C (th. 6).

8 Dans un saladier, mélangez la farine, la noix de coco râpée, le reste du sucre et une pincée de sel.

LE CONSEIL DE CYRIL

→ *Mélangez bien la préparation (farine, coco, sucre et sel) avant d'y incorporer le beurre.*

9 Ajoutez le beurre mou et pétrissez avec les doigts.

10 Émiettez ensuite le mélange entre les doigts pour obtenir une consistance sablée.

11 Disposez la compotée de fruits dans le fond d'un plat à cassolette.

12 Parsemez le dessus de pâte à crumble et mettez au four environ 10 min.

LE CONSEIL DE CYRIL

Si vous préférez une pâte à crumble plus légère et plus friable, mettez moins de beurre.

13 Présentez le crumble accompagné de son lait de coco, servi frais dans un joli verre.

LE CONSEIL DE CYRIL

⇢ *Pour un côté ludique, mettez une paille dans chaque verre de lait.*

CRÈME BRÛLÉE À LA CANNELLE

PRÉPARATION 30 MINUTES

Pour **2 personnes** | Coût : € | Difficulté : ☆☆

Ingrédients

3 jaunes d'œufs
15 cl de crème liquide
15 cl de lait
50 g de sucre en poudre
1 cuil. à soupe de cassonade
1 cuil. à café de sucre vanillé
1 cuil. à café de cannelle en poudre

Matériel

1 fouet
(1 chalumeau)

CHOISIR LES BONS PRODUITS

→ Pour reconnaître un œuf frais, plongez-le dans un bol d'eau salée. S'il reste au fond du bol, c'est qu'il est frais. S'il remonte entre deux eaux, jetez-le !

1 Préchauffez le four à 180 °C (th. 6).

2 Faites chauffer la crème liquide avec le lait dans une casserole.

3 Ajoutez le sucre vanillé et la cannelle.

4 Dans un bol, fouettez les jaunes d'œufs avec le sucre.

LE CONSEIL DE CYRIL

→ Après avoir porté la préparation à ébullition, retirez la mousse en surface à l'aide d'une cuillère (cela évitera d'avoir une pellicule au-dessus de la crème).

5 Portez à ébullition la préparation lait-crème et versez-la sur les œufs blanchis tout en fouettant.

6 Remplissez les plats à cassolette de la préparation.

7 Faites cuire au four environ 10 min et laissez tiédir. Saupoudrez ensuite les crèmes...

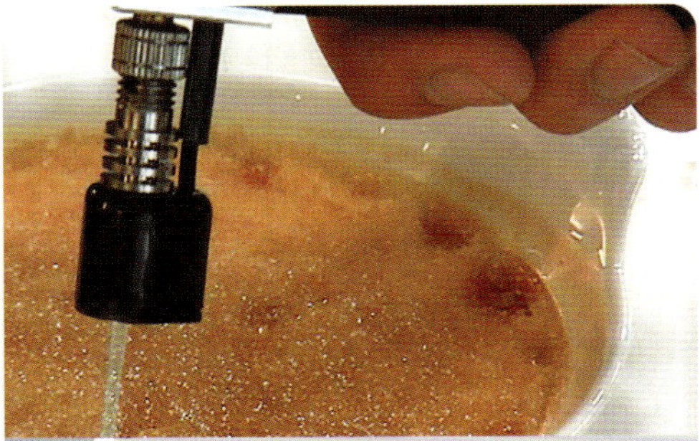

8 ... d'une cuillerée à soupe de cassonade et caramélisez-les à l'aide d'un chalumeau.

LES CONSEILS DE CYRIL

→ Lorsque vous incorporez le sucre aux jaunes d'œufs, fouettez tout de suite la préparation sinon le sucre risque de cuire les jaunes.

→ Si vous ne possédez pas de chalumeau, faites gratiner la crème dans un four préchauffé, sur la position gril.

PETITES CRÊPES À LA BANANE, CARAMEL À LA LIQUEUR DE COCO

Préparation 20 minutes

Pour **2 personnes** | Coût : € | Difficulté : ★★

Ingrédients

Pâte à crêpes :

1 œuf
15 cl de lait
1 noix de beurre
75 g de farine
1 cuil. à soupe de sucre
1 pincée de noix muscade râpée
1 cuil. à café d'huile d'arachide
1 pincée de sel

Garniture :

1 banane
1/2 citron vert
100 g de *cottage cheese*
25 g de fromage blanc
1/2 sachet de sucre vanillé
1 cuil. à soupe de sucre

Caramel :

8 cl de crème liquide
25 g de sucre
1 cuil. à soupe de liqueur de coco

CHOISIR LES BONS PRODUITS

→ Le jus de citron vert a un goût plus corsé que le jus de citron jaune, mais le citron jaune est plus riche en vitamine C.

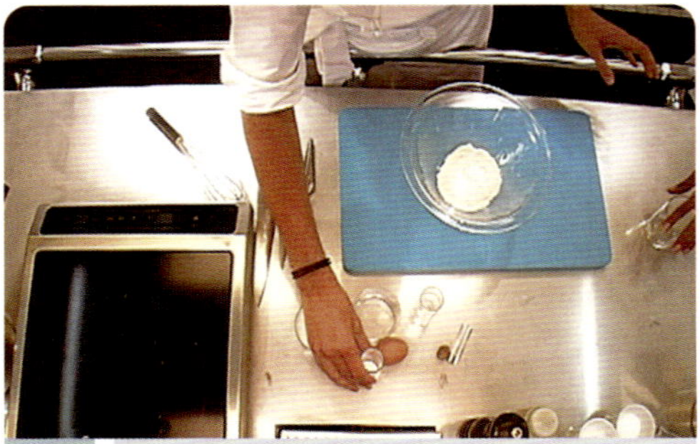

1 **Préparez la pâte à crêpes :** dans un saladier, mélangez la farine, le sucre et le sel.

2 Dans un bol, fouettez l'œuf pour l'aérer.

3 Formez un puits dans le mélange farine-sucre-sel et ajoutez l'œuf battu.

4 Mélangez bien à l'aide d'un fouet.

LE CONSEIL DE CYRIL

N'oubliez pas de casser l'œuf à plat sur le plan de travail pour éviter les coquilles dans la pâte...

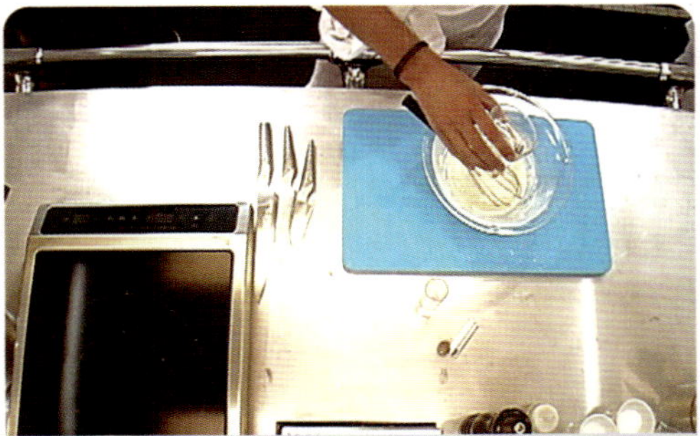

5 Versez ensuite le lait et 8 cl d'eau.

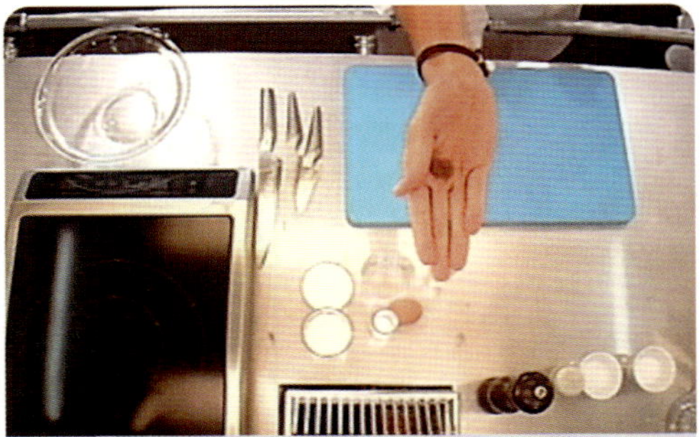

6 Ajoutez l'huile d'arachide et la noix muscade râpée. Gardez la pâte à crêpes au frais.

7 Préparez la garniture : dans un saladier, mélangez le fromage blanc, le *cottage cheese*...

8 ... le sucre vanillé et le sucre en poudre.

LES CONSEILS DE CYRIL

- *Versez le lait petit à petit pour éviter les grumeaux.*
- *L'huile d'arachide évitera à la pâte d'accrocher dans la poêle.*

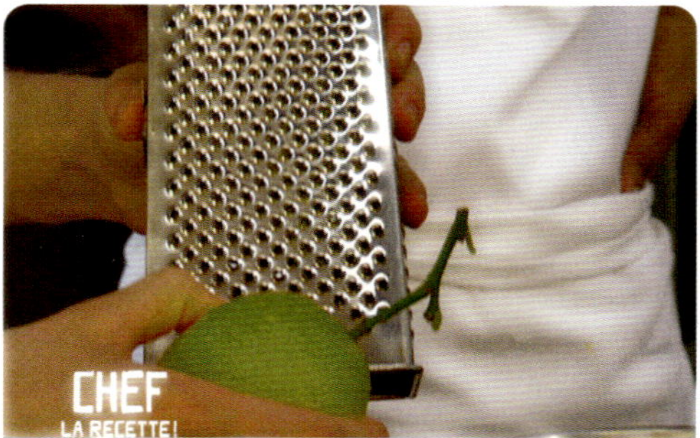

9 Ajoutez les zestes d'un demi-citron dans la garniture.

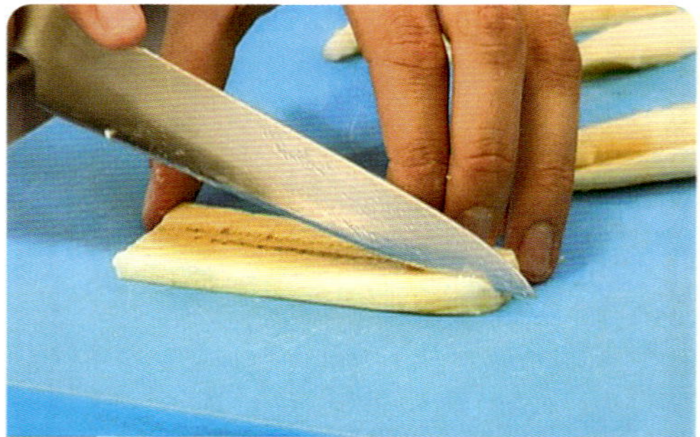

10 Coupez la banane en bandes, puis en petits cubes.

11 Arrosez la banane du jus de citron.

12 Mélangez la banane et la préparation au fromage. Gardez au frais.

LE CONSEIL DE CYRIL

→ *Le jus de citron vert évite à la banane de s'oxyder.*

13 Dans une casserole, préparez un caramel en mélangeant le sucre avec un filet d'eau.

14 Quand il prend couleur, ajoutez la liqueur de coco puis la crème liquide.

15 Laissez-le doucement se colorer et mettez de côté.

16 Dans une poêle beurrée, réalisez une grande crêpe par personne.

LE CONSEIL DE CYRIL

Remuez le caramel au début et n'y touchez plus jusqu'à coloration.

17 Coupez la crêpe en quatre. Alignez les triangles sur une assiette...

LE CONSEIL DE CYRIL

→ *Pour une jolie présentation, superposez une couche de garniture à la banane, une crêpe, une couche de bananes, et ainsi de suite...*

18 ... décorez avec la garniture à la banane et le caramel à la liqueur de coco.

LE CONSEIL DE CYRIL

→ *Arrosez chaque assiette d'un filet de caramel.*

Crédits photographiques :
Toutes les photos de plats sont de Eric Fénot.
Pour toutes les autres photos (issues de l'émission Chef la recette) : © Sébastien Zibi.

FREMANTLEMEDIA

Chef la Recette. Produit par FremantleMedia France S.A.S.
Licence par FremantleMedia Licensing Worldwide.
www.fremantlemedia.com

Ouvrage proposé et réalisé par E-NOVAMEDIA

Direction : Stephen Bateman (Hachette Pratique) / Sandra Menoni (M6 Éditions)
Direction éditoriale : Pierre-Jean Furet
Édition : Christine Martin / Stéphanie Pelleray assistée de Samuel Ruimy (M6 Éditions)
Corrections : Isabelle Yafil
Conception intérieure et réalisation : Laurent Gaulet (e-Novamedia)
Couverture : Nicole Dassonville
Fabrication : Amélie Latsch
Responsable partenariats : Sophie Augereau au 01 43 92 36 82

Dépôt légal : octobre 2007
ISBN : 978-2-01-237434-8
23-7434-6 édition 01
Impression chez Cayfosa, Quebecor en Espagne.